A vida
em prece

CB016338

Dados Internacionais de Catalogação na Publicação (CIP)

(Câmara Brasileira do Livro, SP, Brasil)

A vida em prece : o livro de orações da mulher / Fernando Altemeyer Junior... [et al.]. – Petrópolis, RJ : Vozes, 2018.

Outros autores: Gisele Canário, Marcos Daniel de Moraes Ramalho, Nayá Fernandes.

2ª reimpressão, 2019.

ISBN 978-85-326-5752-7

1. Cristianismo 2. Mulheres – Livros de oração e devoções 3. Mulheres cristãs – Vida religiosa 4. Orações I. Altemeyer Junior, Fernando. II. Canário, Gisele III. Ramalho, Marcos Daniel de Moraes. IV. Fernandes, Nayá.

18-13427   CDD-220.5082

Índices para catálogo sistemático:
1. Mulheres : Oração : Prática cristã : Cristianismo
220.5082

Fernando Altemeyer Junior
Gisele Canário
Marcos Daniel de Moraes Ramalho
Nayá Fernandes

A vida em prece

O livro de orações da mulher

EDITORA
VOZES

Petrópolis

© 2018, Editora Vozes Ltda.
Rua Frei Luís, 100
25689-900 Petrópolis, RJ
www.vozes.com.br
Brasil

Todos os direitos reservados. Nenhuma parte desta obra poderá ser reproduzida ou transmitida por qualquer forma e/ou quaisquer meios (eletrônico ou mecânico, incluindo fotocópia e gravação) ou arquivada em qualquer sistema ou banco de dados sem permissão escrita da editora.

CONSELHO EDITORIAL

Diretor
Gilberto Gonçalves Garcia

Editores
Aline dos Santos Carneiro
Edrian Josué Pasini
Marilac Loraine Oleniki
Welder Lancieri Marchini

Conselheiros
Francisco Morás
Ludovico Garmus
Teobaldo Heidemann
Volney J. Berkenbrock

Secretário executivo
João Batista Kreuch

Editoração: Flávia Peixoto
Diagramação: Sheilandre Desenv. Gráfico
Revisão gráfica: Alessandra Karl Rodrigues da Silva
Capa: Idée Arte e Comunicação
Ilustração de capa: ©Tippapatt | istock

ISBN 978-85-326-5752-7

Editado conforme o novo acordo ortográfico.

Este livro foi composto e impresso pela Editora Vozes Ltda.

Sumário

Apresentação

Caríssima leitora,

Este é um livro de orações dirigido especialmente às mulheres. Queremos ajudá-las a cultivar sua espiritualidade, seu diálogo com Deus e sua relação com o sagrado. Através de pequenos textos e de breves orações nós, os quatro autores, queremos ajudá-las a reconhecer os caminhos de uma vida espiritual, compreendendo melhor onde Deus está presente, o que Ele espera de nós e o que vocês podem fazer, por si mesmas, para caminharem na presença dele, experimentando a graça e a paz que Ele tem para nos oferecer.

De forma simples e despretensiosa, este livro toca inúmeras situações do cotidiano: as preocupações com a família, com os filhos, com os familiares, com os amigos e também consigo mesmas. Oferecemos sugestões para que vocês transformem em oração os sentimentos e as emoções que experimentam: as alegrias e as tristezas, as angústias e as esperanças, os cansaços e as dores... Enfim, este livro quer ser uma pequena ferramenta para o seu dia a dia.

Que nossas reflexões e preces ajudem vocês a viverem bem, e que os frutos de sua oração pessoal também possam fazer bem a todos os que estão ao seu redor e desfrutam de sua amizade e de seu carinho.

Pe. Marcos Daniel de Moraes Ramalho

1
Orações para todos os dias

Para todas as manhãs

Faze-me ouvir pela manhã teu amor, pois é em ti que eu confio. Dá-me a conhecer o caminho que devo seguir, pois a ti elevo a minha alma (Sl 143,8).

𝒫ara pensar

O caminho me aponta para o exercício do amor! E é no caminho que faço a opção de aproximar-me do projeto de Deus. A confiança na escolha que faço são necessárias, porque é a partir delas que continuo insistindo em conhecer mais e mais as coisas que vêm de Deus! A alma só é elevada para as coisas do alto quando decido por mim mesma que viver o projeto de Deus é possível, que trilhar por suas veredas inevitavelmente me leva ao amor por meus irmãos, de maneira incondicional, sem distinção!

ração

Senhor Deus, "sou toda ouvidos". Nesta manhã me proponho a te escutar. Quero fazer da minha vida um eterno caminhar. Para isso me aceita como tua discípula, e vou trilhar os teus comandos de amor!

Senhor Deus, "sou toda comunicação". Nesta manhã me proponho a contemplar. Quero fazer de cada atividade um exercício dirigido por ti. Para isso abre a escuta do meu coração, pois assim vou amar sem distinguir!

Senhor Deus, "sou toda vitalidade". Nesta manhã quero aprender a escolher a melhor parte. Quero ser para todos e todas a arte da bondade. Por isso quero ser irradiada pela energia que sai do teu coração!

Senhor Deus, "sou toda prontidão". Nesta manhã serei atenta ao teu chamado. Quero ser conduzida pela tua bondade, e com isso ser justa, compreensiva e caridosa. Para isso me proporciona o dom dos teus sinais!

Para todas as noites

Fez os grandes luminares, pois seu amor é para sempre! [...] / a lua e as estrelas para presidirem a noite, pois seu amor é para sempre! (Sl 136,7.9).

𝒫ara pensar

Chegou a hora do repouso. Aos poucos, busca o recolhimento e o silêncio. Tu mereces este momento; não o desperdices! Talvez pequenos rituais possam ajudar-te: um banho, uma música suave, um copo de leite etc. Não desprezes esses pequenos rituais; ao contrário, tira deles bom proveito! Em tua oração, agradece a Deus pelas coisas boas que te aconteceram neste dia e também pelo bem que podes fazer. Lembra as coisas que não te foram agradáveis, mas não permitas que a raiva ou a tristeza sufoquem teu coração. Antes, peça ao bom Deus que te conceda o ânimo e a sabedoria de que necessitas. Se necessário, perdoa ou pede perdão. Acima de tudo, agradece, pois a gratidão é força transformadora e fonte de muitas bênçãos.

ração

Escuta minha prece, Senhor. Dirige teu olhar para esta tua serva. Purifica-me de todo mal, revigora em mim as tuas forças.

Quero descansar em ti, Senhor. Que todo o meu ser repouse em ti... Concede-me o descanso do corpo e da alma, a saúde da mente e do espírito. Concede-me a graça, a sabedoria, o discernimento.

Acalma este meu coração, Senhor. Preenche-me com tua alegria, dissipa minhas dúvidas, liberta-me dos meus medos. Sossega-me, Senhor! Dá-me a tua paz; ensina-me a tua paz. Que o meu coração possa abrigar-se em teu coração, ó Deus. É o que eu te peço humildemente. Amém.

Para as refeições

O pão nosso de cada dia dá-nos hoje (Mt 6,11).

Para pensar

Essa é uma petição da oração de Jesus, o Pai-nosso. Quem se diz filho de Deus Pai precisa ser irmã e irmão de todos. O pão nosso de cada dia chega à mesa com suor, amor e trabalho. Se o Pai é nosso, o pão é nosso. A oração ao redor da mesa não pode fugir das exigências da justiça. Não há Pai sem pão nem pão sem Pai. Não pode haver contradição entre o pão da terra e o pão do céu. Agradeçamos a Deus por tudo o que temos e podemos repartir com quem ainda não tem pão. Oremos para que Deus abençoe a nossa mesa e mude corações empedrados, para que não haja nenhuma família sem amor, sem pão, sem trabalho.

Oração

Ó Pai, Deus de amor e de comunhão. Peço a tua bênção generosa sobre cada prato de nossa mesa. Que a tua bênção desça sobre as saladas, a mistura e a sobremesa. Bênção sobre cada fogão, panela, garfo, faca e colher. Que desça tua graça sobre cada um de nossa amada família que aqui está reunida em teu nome. Que não falte pão na mesa do irmão. Que não falte justiça em nosso país. Que ninguém morra de fome. Que todos abram as mãos e corações para a partilha. Graças te dou por termos trabalho e podermos fazer o nosso pão. Agradeço aos nossos filhos que aprendem ao redor da mesa a lição do amor. Obrigado aos meus pais pelo carinho, que é o pão que sustenta a mesa do arroz e do feijão. Pão da terra e pão do céu, ambos das mãos de Deus. Senhor Deus, nosso Pai, quero comer com sabor e saber, para que não haja desperdício nem gula. Do pouco que tenho, que eu saiba partilhar. Sempre se pode pôr mais água no feijão. Em nossa mesa ninguém seja estrangeiro. Ó Pai, sejamos a família do pão-nosso. Amém.

A Nossa Senhora

E bendito é o fruto do teu ventre (Lc 1,42b).

𝒫ara pensar

Invocada com diferentes nomes, Nossa Senhora é aquela mulher que nos precede na fé e no caminho da esperança, rumo ao Reino dos Céus, que já está entre nós. Sendo a Mãe de Deus, Maria, humana como nós, enfrentou muitos desafios. A Bíblia conta inúmeras cenas em que ela, como mãe, preocupa-se com seu Filho, Jesus. Basta olhar ao nosso redor e veremos tantas Marias que, pelo Brasil e pelo mundo afora, pedem à Mãe Aparecida, à Virgem de Lourdes ou de Guadalupe que por elas rogue e as ajude, seja no cuidado dos filhos, seja nas pelejas e desajustes de uma sociedade que vê mas não se importa com o outro e nem está disposta a estender a mão.

ração

Bendito seja seu sim, ó Maria. Dado ao anjo, quando ainda jovem, esperava que um profeta viesse para salvar seu povo. E ele veio morar entre nós, mas não era somente um profeta; foi o próprio Deus, que se fez verbo, palavra, pessoa humana e veio morar entre nós.

Sim, a história da salvação passou pelo seu rosto feminino. Jesus foi criança e chorou em seus braços. Que eu saiba também, como tu fizestes, estar disponível para ser preenchida pelo Espírito Santo e gerar vida em mim.

Ajuda-me, ó Mãe, ao invocá-la, a amar, mesmo quando for necessário atravessar montanhas, como tu fizestes para visitar sua prima Isabel. E assim, Nossa Senhora Aparecida, de Guadalupe, de Fátima, de Lourdes, das Graças ou das Dores, Mãe do Céu Morena, Senhora do Brasil, da América Latina, do Mundo, Mãe de Deus, interceda por mim junto ao teu Filho.

Roga por mim, ó Maria. Que eu seja tão firme e doce como tu fostes ao lado de José, seguindo os passos de Jesus, desde o seu nascimento até a morte e a ressurreição. Amém!

2
Orações pelo que me é mais precioso

Pela minha família

Tua descendência será como o pó da terra, e te espalharás para o Ocidente e para o Oriente, para o Norte e para o Sul. Em ti e em tua descendência serão abençoadas todas as famílias da terra (Gn 28,14).

Para pensar

Rezar por nossa família é sempre fundamental em nossa vida. Se aqui estamos, devemos a quem nos precedeu na história, bem como a tantas mãos amigas de parentes, amigas e companheiras de estrada. O que seria de alguém sem uma família? Deus mesmo nasceu em uma delas, e quis que vivêssemos a experiência da imensa família humana. Todos os seres humanos, de tantas etnias, rostos, diversidades são descendentes de Abraão e seres abençoados pelo Criador para viver em fraternidade. Ainda há muito ódio e muita discórdia por culpa da ganância. Entretanto, os que acreditam na família são antídoto seguro para vencer as dores e construir um mundo novo.

Oração

Ó Pai, Deus das famílias e da comunidade humana. Peço a tua presença fiel em nossa vida. Que a nossa casa seja uma casa de Deus, de filhos e filhas de Deus. Que nenhuma divisão entre em nossa porta. Que os males que possamos enfrentar encontrem dentro de nosso lar gente com coragem, serenidade e força que vêm da fé.

Sei que se Deus está comigo, nada poderá me derrubar e quebrar. Posso até sofrer e ter feridas nas batalhas, mas Deus é sempre minha fortaleza. Fica comigo, Pai do Amor e da Verdade. Ilumina minhas noites e fortalece os dias de sofrimentos. Peço-te para que sempre possa celebrar os dias de festa e mostrar ao mundo que teu amor é para sempre. Ó Pai, que eu seja o pó moldado em tuas mãos. Que eu seja uma irmã verdadeira de Jesus, o Filho Amado. Amém.

Pelos meus filhos

...teus filhos, como rebentos de oliveira ao redor de tua mesa (Sl 128,3).

$\mathcal{P}$ara pensar

A oliveira é uma árvore simbólica. Das olivas é extraído o azeite, tão importante para a cozinha em todo o mundo. E não só, as oliveiras são árvores centenárias e até milenares. Quando o Salmo diz "rebentos/brotos de oliveira", ele mostra o desejo de que os filhos, sejam, na mesa dos pais, especiais e duradouros. A mãe é aquela que cuida do filho como se realmente fosse um pequeno broto, mas consciente de que ele vai crescer e precisará ser tão resistente quanto uma oliveira e, também ele, dar seus frutos. Ser mãe é colher olivas, e, a cada colheita, ver crescer de novo o fruto.

Oração

Enquanto ele dorme, eu rezo. Minha oração é, na verdade, contínua. Mãe não descansa a mente, nem o corpo, nem o coração. Mãe é cansaço vigilante, recompensado pelo sorriso, pelas mãozinhas que abraçam, pela responsabilidade que chega aos poucos.

Ter um filho, ó Deus, é desvendar o mistério da vida no cotidiano. É acompanhar, com amor, o desenvolvimento dos pezinhos, dos braços, da cabeça, do vocabulário, da compreensão, do caráter.

Cuida dos meus filhos, ó Pai, e ensina-me também a cuidar não apenas do choro, do machucado, do dente, da tarefa de casa ou do horário noturno na volta para casa. Quero cuidar dos sentimentos, dos desejos, dos medos, dos dias cinzentos e dos traumas escondidos, bem como de cada uma das conquistas e sorrisos.

Dá-me, Senhor, sabedoria para dizer sim ou não, e leveza para acompanhar os passos pequenos ou grandes de cada um dos meus filhos. Que eu seja suporte e ponte, que eu aprenda a amar sendo mãe, acima de tudo, mas também amiga e confidente. E que eles aprendam a seguir o caminho do bem, sempre. Amém!

Pelo meu relacionamento

...madrugaremos para ir aos vinhedos, ver se as vides lançaram rebentos ou se já se abrem suas flores, se florescem as romãzeiras. Ali te darei o meu amor (Ct 7,13).

$\mathscr{P}$ara pensar

Amor requer, também, esforço. Acordar cedo é a metáfora de quem está disposto a viver o dia e tudo o que ele oferecerá, seja o desabrochar das flores, seja o anoitecer sozinho. No Cântico dos Cânticos, amado e amada se encontram ali, onde a romã, fruto da prosperidade, brota. Um dos vilões do amor é justamente o individualismo, o desejo de prosperar sozinho sem abrir mão para que o outro esteja ao lado, nem à frente, nem atrás. Também por isso no Gênesis a mulher é aquela tirada da costela de Adão, do seu lado. Só quem entende o outro como igual pode dar-se inteiramente sem reservas, como Deus deu-se à humanidade. Isso é amar.

Oração

O amor existe. E o verdadeiro amor nasce de Deus. Todos os dias pela manhã ele pode ser vivido na xícara de café que se toma junto, antes que o dia comece, exigente, cansativo. Viver a dois é uma aventura e, às vezes, nos coloca em perigo.

O perigo do individualismo. O perigo da "minha vida e sua vida", "meu dinheiro e seu dinheiro", "meu filho e seu filho", o perigo – real – do juntos mas separados, e no mesmo quarto.

Por isso, ó Deus, Tu sabes que não precisamos somente de alguém ao nosso lado. Mais do que isso, precisamos confiar, caminhar juntos e projetar o futuro, enquanto o já da nossa vida é repleto de compreensão e ajuda mútua.

Minha prece, Senhor, é para que eu saiba amar e perdoar sempre que for necessário. Perdoar, para mim, não é ser ingênuo ou incapaz de tomar decisões, é reconhecer que sou frágil e que um relacionamento só pode dar certo se formos autênticos, íntimos de nós mesmos e do outro. Dá-me Senhor, a coragem do amor que se doa sem medo de errar. Amém!

Pela minha casa

Jesus entrou no Templo e expulsou de lá todos quantos vendiam e compravam. Derrubou as mesas dos cambistas e as cadeiras dos vendedores de pombas. Depois lhes disse: "Está escrito: 'Minha casa será chamada casa de oração', mas vós fazeis dela um covil de ladrões" (Mt 21,12-13).

Para pensar

O projeto de Jesus é ousado, vai na contramão dos interesses de uma religiosidade que não leva ao comprometimento com aquilo que é do interesse do nosso Deus. A casa de oração virou um lugar de negócios, onde na verdade aquele seria um lugar de encontro entre os irmãos. A minha casa acolhe a minha família e todos os meus amigos. É nesse local que busco o autoconhecimento e me aproximo da vontade divina! Caminhar com Ele e deixar para trás toda forma de exploração, é assim que a minha casa se abre para o conhecimento mais profundo do nosso Deus. Esse equívoco não pode me fechar ao apelo de Deus: justiça e solidariedade; oração e concretude junto aos meus irmãos!

ração

Oh Deus! Meu dom mais precioso, ensina-me a descobrir o teu projeto de amor em minha vida! Abre-me para ser cúmplice da tua vontade e, mais do que tudo, ensina-me o caminho para a tua casa!

Oh Deus! Faze-me da minha casa a tua casa! Senta-me ao teu lado e me instrua: "Filha, quero que sejas a alma da bondade, e que as tuas virtudes te levem à mais plena liberdade"!

Oh Deus! Em cada sinal que me apresentas entendo que o teu reino pertence aos mais pequeninos! Compreendo que a tua justiça é sensata, acolhedora! Eu me comprometo a ser contigo a transformação neste mundo, expulsando toda forma de egoísmo! A começar por mim mesma!

Por isso, oh Deus, clamo a ti, misericórdia! Permaneça em mim, apontando-me o caminho para a retidão! Permaneça em mim, apontando-me o caminho para a tolerância! Permaneça em mim, apontando-me o caminho para o respeito!

Pela minha mãe

Aquele que fizer a vontade de Deus, esse é meu irmão, minha irmã e minha mãe (Mc 3,35).

Para pensar

Sim, Deus é Pai e Mãe. Se pudéssemos, na terra, buscar comparações para o amor de Deus pelos seus filhos, certamente chegaríamos ao amor de uma mãe. Como entender porém, a resposta de Jesus quando dizem a Ele que sua mãe e seus irmãos o procuravam? Jesus ultrapassa os limites dos laços sanguíneos e acolhe a todos como membros de sua família. Para Ele, uma coisa importa: a união em torno do Reino e do desejo de viver como Deus quer. A mãe é aquela mulher que diz sim à vida e acolhe seus filhos com amor infinito. Ela não só vive a vontade do Pai do Céu, mas com Ele tem um acordo vital.

Oração

Senhor, como não ser grata por esta mulher que, junto a ti, deu-me a vida. O seio que me nutriu, os braços que me sustentaram, a comida quente no fogão, as horas a fio de conversas sobre a vida, o olhar sempre terno e as palavras firmes, quando vacilei.

Minha mãe, que talvez em alguma ocasião tenha feito escolhas equivocadas e, em muitas outras, se sentido culpada por momentos impensados. Ela que eu descobri humana, limitada e confusa e, ainda assim, a mais bela pessoa deste mundo.

Quantas dores e, ao mesmo tempo, quanta coragem destes a ela, Senhor. Olhar em seus olhos é como se eu pudesse experimentar já a eternidade, pois sei que ela permanecerá sempre comigo. Para um filho, mãe é eterna.

Ah, Senhor, Tu que também tivestes uma mãe... Nós dois sabemos o quanto é bom aquele abraço que, acima de tudo, nos ensina que nada é mais valioso do que a dádiva de viver. Amém!

Pelo meu trabalho

Tudo o que fizerdes, fazei-o de coração, como quem obedece ao Senhor e não a pessoas humanas (Cl 3,23).

$\mathcal{P}$ara pensar

Todas as atividades que desenvolvo no meu dia a dia fazem parte de um trabalho maior, o projeto do Reino de Deus, e por isso as exerço com todo o meu entusiasmo. Todas essas labutas ocorrem para que eu viva melhor! O meu propósito é abrir-me para fazer do meu trabalho um caminho que leve ao conhecimento profundo do meu Deus, e junto com Ele construir um mundo melhor para todos e todas!

ração

Deus meu e nosso, quero aprender contigo a melhor forma para exercer minhas atividades diárias, combinando a oração e a ação, o silêncio e a eficiência. Todas elas pautadas pelo amor e pela misericórdia!

Deus meu e nosso, em todas as coisas posso sentir a tua bondade. Portanto, quero partilhá-la com os meus irmãos e irmãs! O meu trabalho divulga e propaga o teu amor!

Deus meu e nosso, as dificuldades no meu trabalho são uma realidade constante. No entanto, elas são passageiras; como numa tempestade que, após um momento rápido de medo, tudo volta ao seu normal, e por fim a paz refrigera o mais íntimo do meu coração!

Deus meu e nosso, o meu trabalho é um lugar de encontro! Os meus colegas tornam-se também parte da minha família! Cuida de todos nós! Faz-nos discípulos acolhedores e ouvintes! O meu trabalho é um exercício de amor! Com ele ganho o sustento necessário que alimenta o meu corpo e a energia necessária para viver o bem!

Deus meu e nosso, cuida de todos os meus irmãos e irmãs desempregados! Incita misericórdia e bondade no coração dos nossos governantes, para que apliquem políticas públicas mais justas, e com isso nenhum filho e filha teus viva à mercê da desigualdade, que mata todos os dias!

Pelos meus amigos

Ninguém tem maior amor do que aquele que dá a vida por seus amigos (Jo 15,13).

$\mathscr{P}$ara pensar

Jesus também teve amigos. Ele os visitava e por eles tinha grande cuidado, sobretudo quando estavam sofrendo e precisavam de sua presença. Nas histórias bíblicas há muitos casos de amizade e, às vezes, de traição e discórdia. Amizade não supõe ausência de conflitos. Ao contrário, um verdadeiro amigo diz ao outro o que acha certo e errado, o que poderia ter sido melhor, o que ele acredita ser verdade. E assim, duas pessoas que não estão unidas nem pelo sangue nem pelo vínculo esponsal, podem sim compartilhar a vida com tudo o que ela contém. Dar a vida pelos amigos é dar de si, sem nada esperar.

Oração

Como posso agradecer-te, ó Senhor, pelos amigos maravilhosos que me deste. Eles são luz e calor nos dias mais frios da minha existência. São eles que me ajudam a ser melhor e a confiar, pedir conselhos, rir e chorar em sua companhia; sei que me querem bem.

Amizade, para mim, sempre foi caminho, nunca chegada. É uma realidade capaz de me lançar para fora e amar além de mim. Com o tempo, descobri o quanto sou agraciada pelos amigos que encontrei pelo caminho, e por causa deles me senti única entre milhares de criaturas.

Que eu aprenda a ser para eles companhia, silêncio fecundo, alegria e acolhida em todos os momentos. E, mesmo que o tempo ou os quilômetros nos separem, permanece nosso desejo de estarmos juntos e fazermos de cada encontro um evento especial.

Ó Jesus, que também eu saiba doar de mim mesma e ser, para os meus amigos, abrigo na tempestade e alegria no tédio. Seja eu fraterna e sincera, amorosa e respeitosa, presença ou distância, se necessário for. Obrigada pelos amigos que colocastes em meu caminho; eles são tua presença para mim, são luz e calor. Amém!

Pelos meus avós

Levanta-te diante de uma pessoa de cabelos brancos e honra o ancião. Teme o teu Deus. Eu sou o Senhor (Lv 19,32).

𝒫ara pensar

O respeito aos ancestrais e aos idosos demonstra a fortaleza e a sabedoria de um povo. Talvez possamos afirmar que a maior riqueza de uma nação é reverenciar as pessoas de cabelos brancos e corações compassivos. Levantar-se diante do mais velho, não por etiqueta ou cumprindo normativa social, mas com respeito, temor de Deus e honra devida aos pais e mães de um povo. Quão belo é ver um ancião ofertando sua bênção aos filhos e netos. Que vigor espiritual é uma família que cuida de seus anciãos. Essa antiga sabedoria do livro bíblico do Levítico é um dos segredos da fé judaico-cristã. Aquele que despreza o idoso ou dele se aproveita, rompe com as raízes de sua própria existência e terá uma velhice triste e pobre. Quem valoriza, reconhece e cuida do idoso; demonstra não só amor e reconhecimento, mas cultiva a mais nobre das virtudes: a honradez.

*O*ração

Ó Pai, Deus de nossos antepassados. Peço para que meu amor pelos idosos sempre aumente; que, quanto mais idosos ficarem meu pai e minha mamãe, mais aumente em mim o carinho e o cuidado por eles. Se ficarem rabugentos, que eu fique ainda mais serena. Se eles se esquecerem de mim pela senilidade ou pela doença, que eu os recorde no coração e por minhas mãos de tudo o que eles, com amor, fizeram por mim. A minha oração diante de um idoso sempre será de gratidão, mesmo diante de suas falhas e pecados. Perdoar é terapêutico, e recordar de onde nasci me faz árvore firme com raízes fortes. Quero rezar por meus pais, avós, bisavós, tios e tias. Quero recordar cada nome e cada rosto. Ajuda, meu Pai do Céu, em minha fraqueza, cala a minha boca para palavras feias ou demonstração de raiva. Ó Pai, se nada mais eu puder fazer, que possa ao menos cantar uma música ao lado da minha idosa e do meu idoso. Que o Espírito de Deus me fortaleça. Amém.

3
Orações para situações especiais

Para pedir proteção

Lembrai-vos do dia em que saístes do Egito, lugar de escravidão, pois foi a mão poderosa do Senhor que vos libertou de lá (Ex 13,3).

*P*ara pensar

O projeto de Deus para o seu povo é de liberdade. Ele quer que seus filhos sejam livres para escolherem seus próprios caminhos. Por isso, quando pedimos a Deus para que nos proteja e a Ele confiamos nossos projetos, devemos compreender que os fatos são também consequências das nossas escolhas, livres, como filhos e filhas de Deus. Sim, Ele, o Pai, está conosco em todos os momentos, e ao crer nisso, sentimo-nos mais fortes e confiantes, como uma criança que se joga nos braços da mãe.

# Oração

Para mim, a predileção sempre foi uma ideia complicada, Senhor. Como admitir que alguns são escolhidos e protegidos, e outros não? Como sentir-se mais digno de carinho e cuidado do que os outros, aqueles que, talvez, não saibam nem ao menos pedir.

Ainda assim, ouso pensar que a tua presença em meu caminho torna-me mais forte, e a isso chamo de proteção. Essa capacidade de ver o mundo e a vida com o olhar da fé, de quem acredita que há amor porque Deus existe e nos ama.

Ajuda-me, Deus, a compreender que sem a tua presença a sombra do mundo não me hospeda, como recordou um dia a poetisa. Que eu sinta tua presença quando perceber-me ameaçada e frágil.

Dá-me, ó Pai, a coragem de correr para dentro do teu abraço, todas as vezes em que tudo o que eu sentir for a chuva fria e forte sobre os meus ombros, numa estrada deserta e escura. Protege-me do mal e também de mim mesma, quando o individualismo falar mais forte e eu pensar, ilusoriamente, que posso ir a qualquer lugar sozinha. Amém!

Para enfrentar uma mudança

Para tudo há um momento, há um tempo para cada coisa debaixo do céu. Tempo de nascer e tempo de morrer; tempo de plantar e tempo de arrancar a planta (Ecl 3,1-2).

Para pensar

Estrelas se deslocam pelo universo, mares e rios se enchem e se esvaziam, flores crescem e murcham. O mesmo acontece conosco, seres humanos; somos seres em trânsito, estamos sempre a caminho! Nascemos, crescemos, envelhecemos e morremos. E toda nossa existência é constituída de muitas etapas, cada uma com suas alegrias e dores, com seus desafios e ensinamentos. É preciso acolher tudo isso, aprender com cada situação, sabendo de antemão que nem todos os acontecimentos serão agradáveis. Repara, pois, com calma e com carinho quais lições a vida quer te ensinar. Faze isto e terás uma vida muito mais plena!

ração

Rema!
Crava teu remo no mar e move as águas.
Barcos foram feitos para singrar mares.
Não teimes em ficar parada
– a vida é movimento.

Rema!
Hoje, como criança, amanhã, como adulto.
Põe força nestas mãos e move as águas do destino.
Maior que a força dos ventos,
maior que o poder das águas,
é a força de um coração que, por amor, segue,
ainda que tema o perigo.

Rema, e não tema os riscos.
Segue o teu curso e corre em busca
– encontrarás a ti mesma.

Para agradecer

Bendito seja o Senhor para sempre! Amém! Amém!
(Sl 89(88),53).

*P*ara pensar

Faz bem agradecer. Seria muito triste e terrível se nossa vida e nossas relações fossem reduzidas à lógica das trocas ou à lógica comercial. Assim, é justo e bom saber agradecer. É um sinal de respeito para com aqueles que nos ajudaram, e também um sinal de reconhecimento diante de um presente ou favor recebidos. Além disso, a gratidão fortalece os laços de amizade já existentes, como também pode gerar novos vínculos. Enfim, ela torna nossa vida e nossas relações mais saudáveis, mais harmoniosas e mais sagradas. A gratidão faz a vida ser bela!

 ração

Obrigada, Senhor, por todas as oportunidades de amar e servir, por todas as oportunidades de crescimento e aprendizado.

Obrigada, Senhor, por nossa(s) família(s), por nossos amigos, por todos os bens e favores recebidos e por todo trabalho que pudemos desenvolver neste dia.

Obrigada, Senhor, porque tudo o que somos e tudo o que temos recebemos de vossas mãos. E a Vós novamente confiamos, para que tudo seja vosso e para que tudo seja preenchido pelo vosso amor.

E assim, com alegria e gratidão, que possamos caminhar sempre na vossa presença e testemunhar o vosso amor, a vossa benevolência. Amém.

Para conseguir perdoar

...perdoa-nos os nossos pecados, pois também nós perdoamos a todos que nos ofenderam (Lc 11,4).

$\mathscr{P}$ara pensar

O perdão é um processo, um caminho. Primeiro, você toma a decisão de não se manter presa à magoa e ao desejo de vingança, nem de se manter prisioneira daquele/a que a feriu e a enganou. O perdão liberta ambos: aquele que foi ferido e aquele que feriu. Quanto à cura da ferida, isso demandará tempo, cuidados e compreensão. O tempo pode ser longo ou curto, e os cuidados são variados: bons amigos, bons hábitos, boas orações e – por que não? – um bom orientador espiritual. A compreensão implica o entendimento das nossas limitações; somos todos aprendizes e estamos sujeitos a erro. Por isso precisamos de compreensão, perdão e correção. A compreensão também implica a valorização de tudo aquilo que já construímos ou de tudo aquilo que ainda podemos construir juntos – Afinal, vale a pena pôr fim a essa parceria, a essa amizade, a esse casamento? Assim, conscientes de nossas riquezas e fragilidades, perdoemo-nos mutuamente. Depois, libertos, seguiremos adiante, aprendendo novas lições e substituindo velhos e mau hábitos por outros novos e saudáveis.

Oração

Perdoa-me, Senhor, e ensina-me a perdoar. Perdoa a esta serva que a vós dirige esta oração. Ainda sou criança na vida espiritual, aprendiz na caminhada da fé, na caminhada do amor.

Perdoa-me, Senhor, como também perdoo àquele/a que me ofendeu; liberta-nos de nossas misérias; faz com que vejamos a verdade, sem ilusões, sem fantasias. Liberta-nos de toda vaidade e orgulho.

E assim, livres, possamos, eu e meu ofensor, caminhar por esta vida, buscando a nossa conversão, buscando uma vida nova em comunhão contigo. Amém.

Para cultivar a autoestima

Cura-me, Senhor, e serei curado, salva-me, e serei salvo, porque Tu és o meu louvor! (Jr 17,14).

*P*ara pensar

Só pode amar de verdade aquele que se sabe amado e acolhido, pois o amor sempre é movimento de mão dupla. A autoestima e o autocuidado, sem narcisismos, fazem muito bem. Cuidar de si, amar a vida, ter cuidados com o corpo, gostar do próprio trabalho e alegrar-se são sinais de uma pessoa de bem com a vida.

Amar o próximo como a si mesmo é a regra de ouro mostrada pelo Evangelho. Assim, não se pode dar aos demais o que não é cultivado em nós mesmos, pois a boca fala daquilo que o coração está cheio. Nesse sentido, o Profeta Jeremias nos recorda que a primeira cura essencial é a de nossa própria identidade; quem sabe bem quem é pode cuidar e ajudar quem está desnorteado. E nesse caminho a partir de si, a própria cura sempre tem início na conexão com Deus, que é a fonte de todo amor e de toda verdade interior. Sendo curados e salvos por Ele podemos ofertar essa graça a todos os que nos rodeiam e buscam água da vida em nossas palavras e testemunho.

Deus sempre é o título de toda glória e fonte de toda esperança; sem Ele nada somos e nos perdemos. Com Deus, nada nos detém nem deprime, pois sabemos em quem confiar e a quem pedir apoio e consolo. Sejamos de Deus, inteiros e livres, e assim seremos libertadores.

Oração

Ó Pai, sei que Tu me amas apaixonadamente. Por isso, peço-te: cuida de mim e das inseguranças; fortalece a minha vontade fraca e inconsistente; conduze os meus desejos para o bem, o belo e o verdadeiro. Que eu seja verdadeira comigo mesma; que eu não minta para mim nem para quem eu amo; que eu diga sim quando a vida exigir esse sim; que eu diga um sonoro não quando ele for necessário; que eu não seja uma mulher de língua dividida; que o meu coração e o meu amor sejam inteiros; que o meu sorriso revele a nudez de minha alma; que a minha tristeza seja verdadeira; que eu seja inteiramente tua para que Tu sempre sejas a razão de meu viver. Ó Pai, cuida de mim, toma-me em teu colo. Preciso de teu amor. Amém.

Para sentir confiança

Disse-vos estas coisas para que tenhais paz em mim.
No mundo tereis aflições. Mas tende coragem!
Eu venci o mundo! (Jo 16,33).

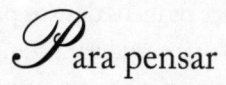ara pensar

Nos momentos mais complicados e difíceis da minha vida olho para a vida de Jesus e me detenho a contemplar aquilo que Ele dizia e ensinava a seus discípulos. É preciso compreender que Jesus venceu o mundo não porque é onipotente e dono de todas as coisas, mas porque em tudo fez a vontade do Pai. Que vontade é essa? Tornar o mundo mais justo, uma casa comum, onde todos possam viver em paz e como verdadeiros irmãos!

Oração

Deus Pai, consolador, para eu sentir confiança em ti necessito te conhecer mais, aprofundar a minha fé, torna-me discípula. Sendo ouvinte da tua Palavra, terei a alegria de entregar as minhas limitações em tuas mãos; saberei discernir entre o que é bom e o que é mal aos teus olhos.

Deus Pai, consolador e autor da minha alegria, confio cada vez mais em tua misericórdia e esforço-me sempre mais para aumentar a minha capacidade de escuta. Assim, poderei conhecer melhor a tua vontade para comigo.

Deus Pai, consolador e abrigo da minha confiança, quero viver contigo cada passo da minha existência. Ganho equilíbrio quando tenho conhecimento em ti, quando tenho vontade de ser tua discípula, amando-te e servindo-te em todos os momentos da minha vida!

Para encontrar a serenidade

A aflição deprime o coração da pessoa,
mas uma palavra boa reanima (Pr 12,25).

*P*ara pensar

A vida é sempre muito veloz e perdemos tempo com bobagens; nossa mente se cansa de futilidades. Os livros sapienciais na Bíblia Hebraica, de modo particular, o Livro dos Provérbios, buscam na boca sábia dos pobres vacinas contra a depressão, a ansiedade e o desassossego. Encontrar a serenidade é uma busca constante na sociedade moderna. Parece tesouro enterrado e perdido em camadas profundas da terra. De fato, a serenidade deixa-se encontrar nas formas mais simples do viver. Ela não se compra nem é vendida; é ofertada em palavras por quem a cultiva. Se alguém está em busca de serenidade deve primeiramente encontrar uma pessoa serena e dialogar com ela. A serenidade também está presente na criação de Deus. Para encontrá-la basta andar na areia e no capim, brincar no parque infantil com as crianças, contemplar o mar ou escalar uma montanha. É contemplar o mistério de cada criatura e de sua beleza desvelando o segredo de Deus; é ver o invisível que se esconde por trás das coisas e das pessoas.

Oração

Ó Pai, peço a paz em meu coração; peço a serenidade em meus gestos e palavras. Que eu respeite o silêncio e saiba rezar; que eu aprenda a ficar quieta e medite sobre o meu dia de trabalho; que eu recorde das pessoas que sorriram hoje para mim; que eu agradeça ao mundo por sua existência e sua generosidade; que eu diga bom dia a quem cruzar o meu caminho; que eu agradeça a quem me servir; que eu me desculpe de erros que cometa. Quero ser mais simples, por isso me liberta das futilidades e do simulacro. Que eu seja feliz olhando-me no espelho; que eu faça uma criança sorrir; que eu não exagere os problemas nem os esconda debaixo da mesa. Ajuda-me, meu Senhor e meu Deus! Sozinha eu não consigo. Fica comigo, sossega o meu coração! Amém.

Para celebrar a alegria de viver

Para aquele que é contado entre os vivos, ainda há esperança, pois mais vale um cachorro vivo do que um leão morto. [...] Anda, come teu pão com alegria e bebe contente teu vinho, porque Deus se agrada de tuas obras (Ecl 9,4.7).

Para pensar

A vida é uma mistura de alegrias, lutas e sofrimentos. E assim como precisamos encarar as lutas de cada dia, também precisamos aprender a celebrar a vida, saborear cada momento de nossa existência e expressar nossa gratidão pelos benefícios que recebemos. É necessário celebrar não só os grandes momentos, mas também os pequenos: um café entre amigos, o almoço em família, a brincadeira com as crianças, o passeio de bicicleta com os colegas de trabalho, uma taça de vinho com os pais etc. Lembremos sempre disso: a vida já inclui boa dose de luta e sofrimento, e se não tomarmos o devido cuidado, os bons momentos serão ignorados. Precisamos aprender a celebrar, a sentir o sabor da vida, a encontrar a graça divina nos pequenos acontecimentos do cotidiano. Uma vida não celebrada é uma vida condenada à dor e à solidão.

Oração

Ensina-me, Senhor, a celebrar a vida! Ensina-me a bendizer teu nome e teu amor! Ajuda-me a encontrar tua graça e tua presença nas minhas rotinas, nas tarefas do cotidiano. Num café entre amigos ou numa refeição em família, contemplando o entardecer ou o brilho das estrelas, que eu possa reconhecer e celebrar a tua presença, a tua graça e a tua salvação.

Dá-me olhos para ver, ouvidos para ouvir, lábios para cantar teu amor, tua bondade, tua presença. Ensina-me, Senhor, concede-me a graça do louvor, para que eu possa mostrar aos meus irmãos os teus caminhos. Amém.

Para cultivar a fé e a esperança

*No presente vemos por um espelho e obscuramente; então
veremos face a face* (1Cor 13,12).

Para pensar

A esperança cristã é a eternidade, a vida que não tem
fim. Nossa fé é aquela que nos faz viver aqui e agora, conscientes de que continuaremos vivos, junto de Deus, após a
morte. Crer nisso muda nosso modo de encarar as situações
cotidianas e até mesmo as mais difíceis. O desespero pode
até, em alguns momentos, querer tomar conta de nós, mas
para quem acredita, "a vida está nas mãos de Deus". Para se
chegar a viver essa experiência de fé, porém, é necessário dar
pequenos passos e não menosprezar a sensibilidade que vê
tudo com um olhar de bem e de beleza, num mundo onde a
vida parece valer cada dia menos.

ração

Fé é também esperança. Mas são muitos os momentos em que a palavra esperança parece literalmente desaparecer do vocabulário. São aqueles dias, Senhor, em que os problemas tomam conta de todos os nossos pensamentos e se apresentam sem solução.

Ajuda-me, ó Pai, a ter esperança, mesmo quando me sentir imersa em confusão e desespero. Que eu possa abandonar-me em ti e perceber que em meu caminho há muitos sinais da tua presença e muito ainda a percorrer.

Cultivar a fé e a esperança requer paciência e força. É um voo perigoso, uma viagem na qual o caminho pode ser mais importante do que o destino, pois quem crê sabe que "no já da vida cotidiana" começa a acontecer a eternidade tão desejada.

Ensina-me, Senhor, a caminhar aqui e agora, acreditando no presente grávido de um futuro melhor. E que sejam para mim esperança o brincar das crianças ou os passos lentos dos idosos pela rua, o sonho do jovem que luta e a fadiga da mãe que trabalha sob o sol para ver o brilho nos olhos dos filhos a cada manhã. Amém!

Pela união

Olhemos uns pelos outros para estimularmos o amor e as boas obras. Não abandonemos as nossas reuniões, como é costume de alguns, mas exortemo-nos, e tanto mais, vendo que o dia se aproxima (Hb 10,24-25).

$\mathcal{P}$ara pensar

Às vezes sinto que a união é algo muito difícil de ser vivida. Mas a compreendo como algo necessário em todas as necessidades humanas, pois viemos a este mundo não para vivermos sozinhos, mas em comunidade, um ajudando o outro. Jesus é um exemplo dessa realidade; mesmo vivendo situações de abandono Ele sentia a solidariedade daqueles e daquelas que o seguiam e lutava com todas as suas forças para que os seus seguidores fossem unidos e se ajudassem!

ração

Deus da união, sei que muitas vezes sou falha e nem sempre consigo viver em harmonia com os meus irmãos. Essa dificuldade me entristece, pois sinto que prejudica o convívio com eles!

Deus da união, vós que fostes capaz de estar unido a vosso Filho em todos os momentos, ensinando-lhe a propagar essa realidade junto a seus discípulos, dai-me essa capacidade!

Deus da união, coração que transborda harmonia, a mim que sou sua filha, conduzi-me pelo caminho do amor, confinando-me inevitavelmente à vossa bondade. Assim, serei compreensão e amor onde eu estiver!

Para pedir/cultivar a paz

Felizes os que promovem a paz, porque serão chamados filhos de Deus (Mt 5,9).

$\mathcal{P}$ara pensar

A verdadeira paz é dom de Deus. Somente Ele pode nos dar a paz que tanto almejamos. Porém, em meio às alegrias e aos desafios de cada dia podemos e devemos construir a paz. Como? Arrancando de dentro nós, tanto quanto possível, toda espécie de vaidade, egoísmo, cobiça, indiferença, injustiça ou mentira. Em outras palavras, se queres experimentar a verdadeira paz, cultiva a simplicidade e a generosidade, acolhe os que estão ao teu redor – especialmente os que sofrem – e busca sempre aquilo que é reto, justo e verdadeiro.

ração

Guarda-me, Senhor, na tua paz, ensina-me sempre a tua vontade, coloca em mim os teus sentimentos e põe tua palavra em meus lábios.

Não permitas que cresçam em mim a vaidade, o egoísmo e a cobiça. Não permitas que eu seja indiferente aos irmãos que convivem comigo nem me deixes indiferente às dores, à injustiça e à pobreza deste mundo.

Guia-me, Senhor! Ensina-me o caminho da tua paz! Que os meus maiores e melhores esforços estejam voltados para a busca da tua vontade, para a realização da tua justiça e a construção do teu reino. Que o meu maior desejo seja o de permanecer na tua presença e compartilhar o teu amor com os que comigo vivem. Amém.

Para dar ação de graças

Bendize, ó minha alma, o Senhor, e não esqueças nenhum de seus benefícios (Sl 103(102),2).

Para pensar

Na louvação nos conectamos com o Senhor, que é a Fonte da Vida e de todo bem; expressamos a nossa gratidão pelos dons que dele recebemos e, ao mesmo tempo, devolvemos-lhe tudo, confiando a Ele nossas vidas, trabalhos e sonhos. Também crescemos muito quando rendemos graças em família, entre amigos ou com a comunidade; além de fortalecermos os laços de amor e amizade, reconhecemos os dons que cada um de nós possui e que pode oferecer em favor dos outros. Sim, louvar a Deus é bom e faz bem. A louvação nos torna mais humanos, mais filhos e filhas de Deus e nos ajuda a crescer na fé, na esperança e na caridade.

Oração

Graças vos dou, Senhor, graças vos dou porque tudo é vosso e a Vós pertencem todas as coisas. Sem Vós nada somos e nada podemos. Tudo o que somos e tudo o que temos de Vós recebemos e a Vós confiamos, para que seja envolvido e alcançado pelo vosso amor. Sim, Senhor, a Vós confiamos nossos desejos e sentimentos, nossos sonhos e projetos, nossas alegrias e tristezas, nosso trabalho, nosso cansaço. E assim, ajudados pela vossa misericórdia, possamos estar sempre ao vosso dispor, buscando a vossa vontade, louvando e bendizendo vosso nome, dando a todos o testemunho da nossa fé. Amém.

Para pedir prosperidade

Por isso, não vos preocupeis, dizendo: "O que vamos comer?" "O que vamos beber?" "Com que vamos nos vestir?" São os pagãos que se preocupam com tudo isso. Ora, vosso Pai celeste sabe que necessitais de tudo isso. Buscai, pois, em primeiro lugar o Reino de Deus e sua justiça, e todas estas coisas vos serão dadas de acréscimo (Mt 6,31-33).

Para pensar

Sinto que conquistar as coisas nesta vida não é nada fácil! Porém, é possível ver em Jesus uma solução para tudo isso de maneira real e humana. Buscar viver o Reino de Deus é viver continuamente na prosperidade! Contudo, é preciso saber que a prosperidade não é algo que cai pronto do céu em forma de milagre. Mas, ao contrário, é uma realidade de busca contínua em viver o projeto de Jesus, fazer a opção por Ele e com Ele receber o sofrimento e a alegria dos filhos e filhas de Deus que optam pelo seu projeto de vida.

Oração

Deus amigo, a ti que consideras a justiça e o amor ao próximo como o ápice de tua proposta de vida, agradeço por tudo que possuo e sou, juntamente com os meus irmãos e irmãs! Preenche-me com as coisas que te servem e te agradam! Prospera em mim a capacidade de ouvir, servir e amar! Que as fronteiras da minha incompreensão não me impeçam de seguir o caminho do bem, da justiça e da solidariedade, pois dessa forma serei obediente a ti! Prospera em mim a capacidade de lutar por um mundo melhor, de não ser conivente com a maldade humana e batalhar não apenas por mim mesma, mas por todos os filhos e filhas de Deus, sem distinção e sem qualquer barreira que impeça a minha aproximação fraterna!

Para tomar uma decisão

Eis que hoje ponho diante de vós bênção e maldição
(Dt 11,26).

$\mathscr{P}$ara pensar

O discernimento nos ajuda a tomar decisões com o coração livre e a mente consciente de que se buscou o melhor possível, ainda que a consequência da escolha não tenha sido aquela que se esperava. Discernir quer dizer decidir, à luz da Palavra de Deus e da própria consciência, o caminho a seguir, a palavra a ser dita ou a melhor atitude num determinado contexto. Deus, por sua vez, não nos coloca em situações difíceis para nos testar; ao contrário, ao nos colocar aos pés do Mestre percebemos o quanto aquilo que aprendemos dele e da sua palavra nos ajuda quando a dúvida e o medo brotam dentro de nós.

Oração

Ter a oportunidade de escolher é uma dádiva. Se pensarmos em quantas vezes a vida não nos dá opções, agradeceríamos todos os momentos em que precisamos tomar uma decisão, seja ela qual for. Dá-me, Ó Espírito de Deus, discernimento suficiente para decidir quanto ao futuro, para aceitar ou negar uma oferta de trabalho ou abrir mão de uma oportunidade para cuidar de alguém que amo, por exemplo.

Toda decisão requer reflexão, discernimento e pessoas com as quais se possa contar para partilhar medos e sonhos. Tomar uma decisão sem contar com a ajuda de Deus, em primeiro lugar, mas também das pessoas que nos querem bem pode ser ainda mais complicado. E além de tudo é necessário sempre contar com a possibilidade de erro e ver que até ele, o erro, tem sua positividade. Concede-me, ó Mestre, sabedoria para decidir e assumir todas as consequências das minhas escolhas. Ensina-me a escutar minha própria consciência, onde habita o seu Espírito, e a deixar-me ajudar pelas pessoas que colocaste em meu caminho. Amém!

Pela saúde

Não há riqueza preferível à saúde do corpo, nem há felicidade superior à alegria do coração (Eclo 30,16).

*P*ara pensar

Quando pensamos em cultivar a saúde geralmente pensamos nos cuidados que devemos ter com nós mesmos e com o nosso corpo. É verdade: bons hábitos alimentares, exercícios físicos e descanso de qualidade são fundamentais para uma boa saúde. Terapias, meditações e o cultivo de alguma espiritualidade também são muito oportunos. Mas apenas isso não basta. Quase sempre esquecemos que nossa saúde está ligada ao ambiente em que vivemos, ao mundo que nos cerca.

Indivíduos saudáveis constroem ambientes saudáveis e seguros; pessoas doentes constroem ambientes doentios e ameaçadores. O inverso também é verdadeiro: ambientes saudáveis geram pessoas saudáveis e confiáveis; ambientes doentios geram inúmeras doenças e perturbações na vida e no cotidiano das pessoas.

Uma vida saudável resulta da combinação de muitos elementos, incluindo o nosso relacionamento com o meio em que vivemos e o acesso aos serviços e recursos básicos (alimentação, habitação, educação, cultura, saúde, trabalho etc.). Você, que é cristã, filha de Deus, tenha uma rotina equilibrada de trabalho, lazer e descanso. Cultive bons hábitos e os valores essenciais da fé cristã. Busque em Deus, fonte de saúde e salvação, a coragem e o ânimo que deseja e necessita. Busque, com alegria e convicção, uma vida mais saudável para si e para os seus, e contribua também, de algum modo, para a saúde dos que estão ao seu redor e dos ambientes em que transita. Todos irão lhe agradecer.

Oração

Senhor, Tu és a fonte de uma vida saudável, a fonte de toda salvação. Cura-me, purifica-me, salva-me. Ajuda-me a buscar, hoje e sempre, aquilo que é útil e verdadeiro para a minha saúde e a saúde dos meus irmãos. Ensina-me a construir um ambiente, um tempo e uma comunidade saudáveis para os que trabalham e convivem comigo. Que a tua salvação, Senhor, alcance todas as pessoas e todos os ambientes, e que possamos contribuir para a construção de um mundo mais sadio, humano e divino. Amém.

Para cultivar a simplicidade

Eu te louvo, Pai, Senhor do céu e da terra, porque escondeste estas coisas aos sábios e entendidos e as revelaste aos pequeninos (Lc 10,21).

Para pensar

Queres cultivar a simplicidade? Primeiro, livra teu coração de toda espécie de vaidade e orgulho. Aprende que o melhor da vida não consiste em estar em primeiro lugar, em ter coisas melhores do que as dos outros nem estar com a razão o tempo todo. O melhor da vida consiste em compartilhar com os que estão ao nosso redor as alegrias e as dores do viver. Compartilhar a aventura da vida e temperar com carinho e paciência cada momento vivido pode ser um bom começo para a simplicidade.

ração

É outra a vossa sabedoria, Senhor, e outra deve ser a nossa sensibilidade. Ensina-me, educa-me! Quero ouvir a tua voz que vem do alto, reconhecer a tua presença em cada momento.

Tenho sede de ti, Senhor! Ensina-me a compreender a tua vontade e colocá-la em prática. Ensina-me a ser simples, despojada. Concede-me a sabedoria dos pequenos, a alegria dos pobres. Livra-me de toda vaidade e mesquinhez; que eu possa julgar a realidade com um olhar mais amplo e com um coração mais generoso.

Em tuas mãos me entrego, sou uma simples aprendiz; não quero ter a última palavra sobre tudo. Antes, que eu busque em tudo, agora e sempre, a Palavra Última, que é tua. Amém.

Para ter sucesso nos estudos

Sim, conheço os planos que formei a vosso respeito – oráculo do Senhor –, planos de paz e não de desgraça para vos dar um futuro e uma esperança (Jr 29,11).

Para pensar

Estudar é um exercício que durará toda a minha vida. Por isso busco fazer dos momentos de aprendizado os melhores de minha vida. Também quero fazer da arte de aprender um exercício de humildade. Não quero ser mais do que as outras pessoas e afugento de mim a arrogância. Sendo uma pessoa do bem e com muita vontade de transformar o mundo, terei muito sucesso em meus estudos! O conhecimento exige muito de mim, pois terei de ser muito mais neste mundo cheio de injustiças!

ração

Deus da sabedoria! Fonte de inquietude e que me impulsiona para o discipulado! Discipulado esse que me direciona para o aprendizado!

Ensina-me a ser aberta às novidades que o conhecimento me possibilita! E em cada momento serei grata por me conduzires nessa jornada. Serei solidária com esse mundo carente de aprendizado! Serei dedicada e amante do saber!

Deus da sabedoria, amante do saber que transforma a minha vida! Os meus estudos me aproximam da tua simplicidade e do teu amor! Bem sei que tua bondade infinita me quer ver bem e feliz! Também sei da responsabilidade que tenho a partir de agora!

Ajuda-me a fazer deste mundo um lugar melhor para todos, com menos injustiças! Que todos tenham acesso à educação! E assim todos sejamos responsáveis por um mundo acolhedor, onde ecoe a paz e a justiça! Amém!

Para conviver com pessoas difíceis

Suportai-vos uns aos outros e perdoai-vos mutuamente toda vez que tiverdes queixa contra alguém. Como o Senhor vos perdoou, assim perdoai também vós (Cl 3,13).

Para pensar

A convivência com outras pessoas sempre nos oferece oportunidades para amadurecermos na vida e na fé. O que podemos aprender com pessoas consideradas "difíceis"? Talvez elas precisem de pessoas que as olhem com um pouco mais de carinho e tenham um pouquinho mais de paciência para escutá-las e compreendê-las, ainda que não concordem em tudo com elas. Talvez necessitem de pessoas que percebam suas aflições mais íntimas e saibam acolher esses sentimentos sem julgá-las. Talvez precisem de alguém que as olhe com respeito, mas nunca com medo. Às vezes, a sabedoria em conviver com pessoas difíceis consiste em saber que por trás de uma cara fechada e gestos abruptos existe um ser humano, tendo necessidade de ter alguém com quem possa partilhar as alegrias e as dores do viver.

ração

Senhor, somos todos um pouquinho difíceis. Também eu necessito de pessoas que me ouçam, me compreendam e saibam dialogar comigo.

Sei também que muitas vezes fui teimosa e orgulhosa e às vezes, por motivos bobos, resisti a mudar de ideia ou de comportamento.

Por isso, eu te peço: ensina-me a ouvir mais, compreender mais, amar mais. Ensina-me a conviver com as diferenças de temperamento e opinião. Ensina-me a ser presença do teu amor e do teu acolhimento. Ensina-me, Senhor, concede-me essa graça! Amém.

Para ser resiliente

De mil maneiras somos pressionados, mas não esmagados.
Vivemos perplexos, mas não desesperamos; perseguidos, mas
não desamparados (2Cor 4,8-9).

Para pensar

A vida é uma mistura de alegrias, lutas e sofrimentos. Muitos desses sofrimentos advêm de nossa própria fragilidade física e moral; outro tanto, advém das situações adversas ou inesperadas, que nos tiram de nossa zona de conforto e revelam a nossa incapacidade de controlar todas as coisas. E um pouco desse sofrimento talvez seja provocado por terceiros, que, por um motivo ou outro, não simpatizam conosco, ou ainda não aprenderam a conviver em sociedade. Em qualquer situação, porém, somos chamadas a crescer, aprendendo a lidar com a nossa fragilidade, com a fragilidade das outras pessoas e também com as limitações do cotidiano. A boa notícia é que somos capazes de superar a maioria desses obstáculos. Com fé e com a ajuda de bons amigos poderemos alcançar e celebrar muitas vitórias.

Oração

Às vezes, Senhor, apanho-me sonhando: gostaria de ter as virtudes das grandes mulheres de fé ou a força e a coragem das heroínas das histórias em quadrinhos. Contudo, quando desperto de meus sonhos reconheço minhas fragilidades, imperfeições e teimosias.

Por isso, peço-te, Senhor: "Dá-me coragem para mudar as coisas que posso, serenidade para aceitar as coisas que não posso e sabedoria para distinguir uma da outra".

Mas, acima de tudo, concede-me, Senhor, a tua graça, que tudo renova e purifica; a tua verdade, que tudo esclarece; a tua justiça, que tudo corrige e conduz; o teu amor, que tudo sustenta e plenifica. Amém.

Para obter êxito e superar os obstáculos

Quem nos separará do amor de Cristo? O sofrimento, a angústia, a perseguição, a fome, a nudez, o perigo, a espada? Realmente está escrito: "Por tua causa somos entregues à morte todo o dia, fomos considerados como ovelhas destinadas ao matadouro". Mas, em tudo isso vencemos por aquele que nos amou (Rm 8,35-37).

Para pensar

É fato que me sinto neste momento um tanto atribulada. No entanto, superar os obstáculos é o meu desejo primordial! As labutas diárias são inúmeras, elas fazem parte da construção de nossa identidade e de nossa existência! Para Jesus, que colocou o amor como centro de sua existência, ensina-nos que é dessa forma que superaremos todas as dificuldades! E isso me conforta profundamente, sabendo que para viver o amor em sua completude faz-se necessário se colocar à sua disposição e em tudo seguir as suas instruções! Com isso, mesmo triste, serei feliz!

ração

Oh Deus! Fonte inesgotável de compreensão! Neste momento recorro a ti, pois sei que o teu colo me ampara! Escuto a tua voz e me sinto feliz! Os meus problemas são tantos, mas sinto que todos eles se tornam um nada diante da tua bondade e misericórdia!

Oh Deus! Amigo e Pai! Terno! A tua atitude de acolhida me faz querer permanecer para sempre em teu coração! Este momento difícil se despede de mim e surge um desejo forte de tornar-me discípula tua!

Tu me desejas e eu te desejo! Porque esse nosso desejo me consome de alegria, quero fazer em todos os momentos a tua vontade!

Para cultivar o amor

Se eu falar as línguas de homens e anjos, mas não tiver amor, sou como bronze que soa ou tímpano que retine (1Cor 13,1).

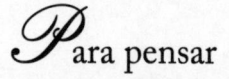ara pensar

O amor é uma obra artesanal; aprendemos a amar dia a dia, pouco a pouco, num processo constante e sem fim. Não amamos todas as pessoas do mesmo modo nem amamos o tempo todo com a mesma intensidade. Cada pessoa exige algo especial de nós e cada momento também exige dedicação e aprendizado específicos. Algumas pessoas querem de nós um pouco mais de paciência, outras um pouco mais de firmeza, outras ainda um pouco mais de doçura. As diferentes pessoas e as diversas situações da vida propiciam inúmeros aprendizados na arte de amar. Tudo isso são formas de crescer no amor; entender o que cada pessoa precisa de nós e o momento que estamos vivendo faz parte do exercício do amor. Aprender a amar a si mesmo em cada momento e em cada situação da vida também faz parte desse aprendizado.

Sendo uma obra artesanal, o amor é feito de detalhes, é aquele golinho a mais que faz todas as coisas terem sentido e valerem a pena. Como ensinou o Apóstolo Paulo, se eu não compreender a linguagem do amor, todas as obras – inclusive as mais belas e grandiosas – e todos os saberes serão vazios e inúteis. De fato, o amor se esconde nos detalhes; um olhar atencioso, um abraço caloroso ou um silêncio cheio de amor e compreensão valem muito mais do que belos presentes e grandes discursos.

Todos somos capazes de amar; contudo, ainda não estamos prontos. Peçamos, pois, a Deus a graça de cultivá-lo.

Oração

Ensina-me a amar, Senhor! Ensina-me a viver e a permanecer no teu amor. Ensina-me esse amor que se esconde nos detalhes, nas miudezas, mas que enriquece e plenifica todas as coisas! Concede a esta tua serva, Senhor, ser um sinal do teu amor! Dá-me sempre a alegria de experimentar o verdadeiro amor no meu cotidiano, nas diferentes situações da vida, na presença e na convivência com pessoas que me rodeiam. Amém.

Pela bondade

O amor é paciente, o amor é benigno, não é invejoso;
o amor não é orgulhoso... (1Cor 13,4).

Para pensar

Viver a bondade de maneira gratuita é um exercício que ainda é difícil para mim! Deus é a própria bondade; fez-se humano para nos ensinar de maneira humana e nos mostrar com a sua própria vida que esse é o fundamento do seu projeto! Portanto, a gratuidade é o sinônimo da bondade, que me faz plena do amor de Deus!

ração

Pai do céu, que caminha comigo neste mundo! Tu me ensinaste que a medida perfeita para a bondade é escutar a tua palavra, ser obediente a ela e assim ser instrumento de bondade e paz!

Pai do céu, que me ensina a viver em união! Capacita-me a cada instante a olhar a vida de coração aberto, carregado de boas energias, e com isso irradiar bondade a todos aqueles que convivem ao meu lado!

Pai do céu, fonte de inspiração diária! Regozijo da minha alma! Em algumas situações me encontro aflita, mas aberta para ser sinal da tua santa bondade, que em tudo me ama, me dá a vida e me conduz pelo caminho do bem!

Pela proteção na gravidez/parto

Meus filhos, sofro novamente as dores do parto até ver Cristo formado em vós! (Gl 4,19).

*P*ara pensar

À comunidade dos gálatas, uma das mais problemáticas pelas quais o Apóstolo Paulo passou, ele disse que estava sofrendo as dores de parto, para que Cristo se formasse naquelas pessoas para as quais o Evangelho havia sido anunciado. Só quem já passou pelas dores de parto e a gravidez que as precedem sabe o que isso quer dizer. Uma mãe se dá por inteiro ao filho. A criança exige não só o seu amor e cuidado, mas exige o corpo, as forças, a saúde, o sangue, a mudança de hábitos, a melhor forma, o máximo de concentração. Mas a mãe sabe que, depois de tudo, o milagre que vem ao mundo é maior do que todo e qualquer esforço, e a isso chamamos vida!

ração

Tu que sabes tudo Senhor, sabes que não é nada fácil conviver nove meses com este pequeno milagre aqui dentro de mim. Mas, ao mesmo tempo, é fantástico. Mudou meu corpo, minha sensibilidade, meu modo de me relacionar com o mundo. Mudou meu humor, minhas prioridades e até meus sonhos. Isso sem contar os momentos em que pensei duas vezes antes de comer alguma coisa ou de não comer. Ou aquelas situações em que olhei para baixo com medo de cair ou para frente, distraidamente, imaginando como serão os seus primeiros passinhos.

Em ti, ó Pai, espero o dia e a hora da chegada deste novo ser, e a ansiedade é inevitável. É uma mistura de medo e alegria, de expectativa e até de certo desespero. Peço forças, ó Deus, e tranquilidade para viver esse momento e acreditar sempre na tua graça, mesmo se acontecer algo diferente do que eu espero.

Senhor, Tu que estás no início de tudo, que conduz nosso nascimento para a vida e para a eternidade, ajuda-nos nessa hora tão importante. E a criança que vai nascer possa ser esperança para um mundo que, com ela, torna a começar. Amém!

4
Orações para momentos difíceis

Quando estou cansada

Ele faz coisas grandes e insondáveis, cujas maravilhas não se podem contar [...] para exaltar os que estão embaixo e elevar os aflitos com a salvação (Jó 5,9.11).

$\mathcal{P}$ara pensar

Muitos textos bíblicos sugerem Deus como repouso. No Livro dos Reis, o anjo acorda Elias e diz que ele deve comer, porque ainda terá um longo caminho a percorrer (2Rs 19,7). Também Jó recorda o quanto Deus está ao lado daqueles que estão cansados e precisam da força divina para continuarem vivos. Hoje, na correria do dia a dia, podemos viver momentos intensos de crise e desânimo, quando tudo parece impossível e nós nos achamos pequenos demais para seguir em frente. Mas basta procurar dentro de nós mesmos, onde mora o Espírito Santo, para encontrar um lugar para descansar, um lugar onde Deus mesmo se dá como alimento.

ração

Como não sentir cansaço numa sociedade que exige e quer de nós o máximo de produção com o mínimo investimento possível? Como não sentir esgotamento quando o tempo parece correr mais rápido do que nossas pernas podem suportar?

Sim, estou cansada e tenho medo de não conseguir continuar, ó Deus. Dá-me forças para seguir e discernimento para realizar, em primeiro lugar, aquilo que é prioridade para mim e para as pessoas que amo.

Com a experiência da vida e com a tua luz, Senhor, percebi que nem sempre, quando estou cansada, preciso simplesmente descansar. Às vezes tenho de recomeçar, transformar a rotina e até mesmo mudar. Fazer opções pelo que é prioridade e não ir além da minha própria capacidade.

Ajuda-me, ó Espírito Santo, a encontrar, dentro e fora de mim, espaços de repouso e tranquilidade. Seja para mim descanso e vida nova. Que eu saiba viver de maneira que consiga integrar tudo aquilo que me faz bem e deixar de lado os excessos que me prejudicam. Amém!

Quando estou aflita

E não só isso. Até nos sofrimentos nos orgulhamos, pois
sabemos que o sofrimento produz perseverança,
a perseverança prova a fidelidade e a fidelidade
comprovada produz a esperança (Rm 5,3-4).

Para pensar

A tribulação é algo que passa rápido, como uma tempestade! E isso me acalma! Nada melhor do que um dia após o outro, quando a tempestade se tranquiliza e as coisas se encaixam na normalidade da vida! Perseverar é um passo para que eu possa não desistir diante dessa dificuldade passageira, e assim meu coração se enche de esperança!

ração

Deus misericórdia, sinto-me fraca, sem esperança, mas com a certeza de que não me abandonaste! Essa dor me deixa fraca na fé, mas logo isso será apenas um registro na minha história, sem marca e sem dor!

Deus misericórdia, fonte de inspiração para aqueles que o temem. Consome-me da tua caridade e cuida de mim neste momento difícil! Senhor, a cada momento me sinto melhor, e isso me faz acreditar que o teu amor me acompanha em todos os momentos!

Deus misericórdia, "absurdo" da minha existência, completude que alivia as minhas dores! Caminho contigo e aprendo que estou no caminho certo! Como discípula, encaminho-me para o teu projeto de vida, vivendo em amor e me sentindo parte dos teus sonhos infindáveis!

Quando não tenho paciência

Mais vale o fim de uma coisa do que o seu começo, e mais vale a paciência do que a arrogância. Não te irrites com facilidade, pois a irritação mora no peito do insensato (Ecl 7,8-9).

Para pensar

Boa parte da nossa irritação é resultado da nossa pressa e da nossa ansiedade, da nossa falta de cuidado e planejamento, do nosso egoísmo e do nosso terrível desejo de querer controlar tudo e todos. E quando as coisas não saem do nosso jeito e no nosso tempo, ou quando as pessoas não correspondem ao que esperávamos delas, nos irritamos. Se quiseres viver melhor deverás aprender a lidar com essas situações. Caso contrário, correrás o risco de continuar agindo e reagindo com estupidez e imaturidade, ferindo a si mesma e magoando outras pessoas.

Oração

Ensina-me a paciência, Senhor. Concede-me a sabedoria para entender as situações, lidar com as adversidades, compreender o tempo das coisas e das pessoas, acolher as diferenças de pensamento e de comportamento dos que estão à minha volta.

Ensina-me a paciência, Senhor. Torna meu coração mais generoso, cuidadoso e compreensivo, para que eu possa falar e agir com caridade. Não deixa que eu me feche ou tropece em minhas vaidades, vontades e ansiedades. Liberta-me, corrige-me, sacode-me!

Dá-me o dom da humildade e simplicidade. Faz com que eu compreenda as limitações dos meus irmãos, visto que também eu trago as minhas fragilidades. É o que te peço, humildemente, confiando em teu amor. Amém.

Quando estou triste e deprimida

Digo-vos, pois: "Pedi, e vos será dado; buscai, e achareis; batei, e vos abrirão (Lc 11,9).

*P*ara pensar

Jesus insiste com os seus seguidores e amigos que Deus está sempre ao nosso inteiro dispor; que devemos pedir, insistir e até incomodar. Claro que não devemos pedir bobagens e futilidades. Ele quer pedidos que valham a nossa vida e o nosso existir. Quer que procuremos, batamos e clamemos do fundo do coração. Mas, antes mesmo de começarmos a pedir, Ele sabe o que de fato precisamos e nos dá gratuitamente. Essa nossa teimosia será fundamental para superar o que nos aflige e paralisa; essa perseverança na fé, e sobretudo na oração, abrirá horizontes e alargará nossa visão estreita e caduca. Se a crise for muito profunda teremos a presença do amor de Deus, que brotará nos gestos de irmãos e irmãs que nos consolam. No limite, quando o mal for maior do que as nossas forças, Deus nos enviará o Arcanjo Miguel e o nosso anjo da guarda para lutarem conosco, sem cessar.

Oração

Ó Pai, confio muito em teus anjos, os da terra e os que vivem nos céus. Manda hoje um deles me visitar. O dia e a semana foram difíceis. Ninguém me escutou; ninguém me entendeu; parece até que ninguém me ama. Estou tão triste e deprimida; um peso me puxa para baixo; está difícil, ó Deus de amor; não dá mais! Tenho vontade de desistir, mas um fio de luz ainda me segura. Sei que meu anjo guardião sempre está me cutucando e dizendo: "Tu consegues!" "Deus está contigo!" "Não desista!" E esse anjo bom sussurra em meu ouvido e toca meu coração como uma injeção de vitamina poderosa. Então me levanto de novo! Peço que hoje, Deus de amor, mande uma multidão de anjos para me socorrer e sustentar minha dor; gente que me acolha e me anime; seres espirituais que cuidem de mim e me consolem; gente que me escute, que me acalente, que não esqueça de mim, pois eu não esqueço de ti. Sei que no fundo de meu coração, Tu segues escondido e aquecendo a minha frieza e a minha solidão. Aquece, ilumina, fortalece meu amor e minha dor. Segura a minha mão, fortalece meu braço, aumenta a minha santa teimosia. Amém.

Quando estou com medo

Guarda-me, ó Deus, pois em ti busco refúgio (Sl 16(15),1).

$\mathcal{P}$ara pensar

O contrário da fé não é a dúvida, mas o medo. A frase foi dita por um bispo que dedicou a vida aos pobres, Dom Pedro Casaldáliga. A propósito, a pobreza também causa medo, mais para quem a vive do que para quem a vê. Treme de medo quem não se sente confiante, quem sabe que o dia de amanhã não depende somente de si. Um pai que teme perder o emprego ou uma mãe que espera o filho que chega tarde da faculdade têm medos provocados por uma sociedade na qual o que mais conta não é o bem comum, mas os interesses individuais. "Temos medos bobos e coragens absurdas", disse um poeta. Mas também temos temores motivados por situações que muitas vezes parecem bem maiores e mais fortes do que nós.

Oração

O tempo que passa, a vida que clama, a paz que parece não permanecer. O medo tomou conta de mim, Senhor, e neste momento não consigo olhar além deste muro à minha frente. Não ter segurança causa medo, ir a um lugar desconhecido ou caminhar sozinha na rua à noite também.

Mas tenho medos mais profundos, ó Pai, como o da morte, o de não ser aceita pelo outro ou do arrependimento diante de uma decisão tomada. O medo paralisa e pode ser como uma faixa colocada sobre os olhos, um bloqueio diante das oportunidades.

Que eu possa, assim como Jesus, seguir em frente, mesmo quando todos parecem me perseguir. Que eu possa encontrar segurança em tua Palavra, Senhor, e nas pessoas que estão junto a mim.

Pai, não te peço que me tires o medo, pois sei que isso é quase impossível; mas te peço a confiança de quem acredita em ti e sabe que todas as realidades deste mundo são passageiras. Dá-me coragem para enfrentar meus medos e proteja-me de todo mal. Amém!

Quando me sinto perdida

O Senhor é um baluarte para o oprimido, um baluarte no tempo da aflição. / E os que conhecem teu nome confiam em ti, porque Tu, Senhor, não abandonas os que te procuram (Sl 9(9A),10-11).

*P*ara pensar

A dor gerada pelas dificuldades faz a minha vida não ter sentido, sentindo-me incapaz de superar qualquer adversidade. Ao mesmo tempo, sinto que as dificuldades da vida são uma realidade e que preciso da força de Deus para não cair. Preciso me organizar de tal forma que cultive o amor como garantia de superação de tantos problemas. Um dia de cada vez, darei um novo sentido à minha existência e superarei cada inquietação que insiste em atormentar o meu coração.

Oração

Senhor Deus, reduto da minha esperança, tranquilizante dos meus dias, em ti deposito a minha confiança e a minha capacidade para seguir adiante!

Creio, Senhor, que daqui em diante a minha vida terá um novo sentido! Que em cada decisão Tu, Senhor, serás o meu guia e a minha proteção diária!

Senhor Deus, já não me sinto mais perdida. Ao contrário, encontrei-me contigo! E nessa certeza as minhas forças são renovadas e a minha vida possui um novo sentido! Obrigada por essa alegria tranquilizadora! Sinto-me abrigada na tua morada! Amém!

Quando me sinto sozinha

Sozinho não posso suportar todo este povo. É um peso grande demais para mim (Nm 11,14).

Para pensar

Uma das primeiras certezas da fé bíblica é a de que tudo está interligado pelo Criador, Pai de Jesus e nosso Deus maternal. Realmente nunca estamos sozinhos realmente; Ele é sempre Deus-conosco. Quem é dele sempre vive bem-acompanhada. Nossa fé afirma que Deus é comunhão de três pessoas: Pai e Filho e Espírito Santo. Tanto amor que os une transborda para nos incluir em tanta graça e felicidade; Deus é como uma cachoeira abundante de amor. Nós todos podemos e devemos nos sentir uma gotinha d'água nessa correnteza divina; gotinha pobre e minúscula mergulhada e suavemente conduzida pela Água Viva, que é Deus. Sentir-se parte da vida nos faz vivos; sentir-se parte da família nos irmana; saber-se filha e filho de Deus nos garante origem e finalidade. Viemos de Deus e vamos para Ele. Por isso, ninguém carrega o fardo sozinho, não é bode expiatório nem culpado pela desgraça pessoal ou alheia. Há sempre fios nos quais estamos enredados, fazendo-nos responsáveis e livres, condutores e conduzidos. Há pessoas que propõem a ética fácil do um *com* o outro; outras, imoralidade grotesca do um *sem* o outro; os cristãos propõem a ética exigente do um *pelo* outro.

Oração

Ó Deus, comunhão de amor. Hoje eu me sinto tão só; o fardo é pesado; estou muito cansada. Sei que cheguei até aqui, mas estou precisando de uma parada para ver uma luz no meu caminho. As minhas baterias estão quase zeradas. Quero muito te pedir para que estejas comigo agora. Preciso de teu amor; preciso de tua energia vital; quero sentir a tua força, o teu amor pessoal e a tua comunhão trinitária; quero experimentar um coração aquecido por tua palavra e por teu Santo Espírito. Sei que Tu és Deus de ternura e de alegria, e preciso entrar na tua festa de amor. Fica só por hoje com o meu coração machucado e ferido e me empresta o teu coração fiel. De noite eu te devolvo o teu coração e tu me transplantas novamente o meu coração agora revigorado e pulsante. Ó meu Deus, eu te amo; ó minha força, eu te amo; ó meu e nosso querido Pai Maternal, eu te amo. Amém.

Quando estou magoada

...tempo de chorar e tempo de rir; tempo de gemer e tempo de dançar (Ecl 3,4).

*P*ara pensar

Ninguém é feliz o tempo todo. Como o belíssimo e conhecido texto do Livro do Eclesiastes diz, há tempo para tudo, até mesmo para sofrer. Isso não significa que sigamos uma mentalidade determinista, segundo a qual tudo o que irá acontecer já está determinado. Não. Como filhos e filhas de Deus e seguidores de Jesus de Nazaré, sabemos que os acontecimentos da vida também são consequências das nossas escolhas e resultado das relações que temos com os outros e conosco mesmos. E isso muitas vezes supõe, inclusive, desencontros. O importante é se deixar conduzir pelo perdão – que ama –, com fé e humildade.

Oração

Mais uma vez aqui estou, ó Deus. Tinha prometido a mim mesma que seria mais forte e não me magoaria tão facilmente. Mas sensibilidade a gente não esconde nem inventa. E, neste momento, o que sinto é difícil não só de viver, mas até de nomear.

Jesus, que assumindo nossa vida humana experimentastes tudo, sabe como é complicado lidar com esse sentimento, que machuca e cala ao mesmo tempo. E não é possível voltar atrás ou simplesmente tentar esquecer. Quando estou magoada pareço revisitar, centenas de vezes, palavras, olhares, gestos e percepções.

O inesperado causa mágoa, quando não somos capazes de entender a atitude de alguém em quem se confia ou uma reação de reprovação, traição ou mesmo desprezo. Máculas que podem durar muito tempo e parecem manchar o corpo e a alma, quase impossíveis de serem tiradas.

O que peço, Senhor, é a capacidade de perdoar. De ir além do óbvio e atravessar as fronteiras que me impedem superar a mágoa e a tristeza. Que todos os meus dias possam ser de aprendizado e que eu possa transformar os meus sentimentos em estímulo na caminhada rumo a uma vida mais plena de ti e conduzida pelo amor. Amém!

Quando estou em luto

Jesus lhe disse: "Eu sou a ressurreição e a vida. Quem crê em mim, ainda que esteja morto, viverá" (Jo 11,25).

*P*ara pensar

Eternidade não é uma questão de tempo, mas de proximidade com Deus e de vivência do amor. Quanto mais amamos, mais próximos dele estamos e mais eternamente vivemos. O amor faz a vida ser plena, ser eterna! Por isso, agradeça a Deus pela vida da pessoa querida que já faleceu; seja grata por todo o bem que ela fez, por todo amor que ela demonstrou. Ainda que pareçam pequeninas, foram essas ações que ajudaram esse ente querido a caminhar para a eternidade! Agradeça e perdoe, ou peça o perdão, se for necessário. Que a sua oração seja um presente de amor para quem agora vive o encontro com o Senhor.

Oração

Agradeço, Senhor, pela vida do nosso irmão, da nossa irmã... (dizer o nome). Agradeço a ti, meu irmão, minha irmã... pelo tempo em que esteve conosco, comigo... Agradeço pela tua presença em minha vida, em nossa casa; pela tua presença em nossa família, em nossa história; pelas alegrias e tristezas compartilhadas; pelos gestos de carinho e de amizade; pelos gestos de caridade e de compaixão.

Perdoa, meu irmão, minha irmã, se nem sempre te compreendi, te acolhi; se nem sempre soube te ajudar; se nem sempre pude te socorrer. Eu também te perdoo se em algum momento nós nos desencontramos.

Receba esta minha oração como um presente de amor. Desejo que permaneças na presença e na graça de Deus. Desejo que estejas em paz e espero um dia poder rever-te, poder abraçar-te. Amém.

Quando estou com raiva

Quem é sensato controla sua ira, e sua glória consiste em ignorar a ofensa (Pr 19,11).

*P*ara pensar

Essa raiva me deixa rancorosa, assumo atitudes impensadas e que magoam as pessoas que mais amo. No entanto, tenho consciência de que posso resolver essa situação da melhor forma. Tomar qualquer decisão no momento de raiva é um propósito incoerente com os ensinamentos da Palavra de Deus. A paciência nos redime e nos faz tolerantes com a nossa atitude e com a atitude dos nossos irmãos e irmãs!

ração

Deus pacificador, deposito em teu coração essa raiva que me destrói por dentro e por fora. Arranca de mim essa irritação que atormenta os meus dias e me faz fraca, sem vitalidade!

Deus pacificador, agente de tranquilidade e paz! Sinto uma força que me faz querer superar essa ira, que já não me atormenta! Deus Amor, em tudo sou grata a ti!

Deus pacificador, meu coração se alegra porque estás comigo e me tirou dessa dificuldade! Graças e louvores eternos a ti, meu amigo e companheiro fiel!

Quando sinto ciúmes

O amor é paciente, o amor é benigno, não é invejoso; o amor não é orgulhoso, não se envaidece (1Cor 13,4).

$\mathscr{P}$ara pensar

Um dos mais belos poemas de amor da literatura ocidental é o Hino do amor, composto pelo Apóstolo Paulo. Ele exalta as qualidades do amor verdadeiro e indica os limites de nossa fragilidade. Depois de dizer que a pessoa que ama é paciente e servidora, imediatamente apresenta três defeitos graves que são nódoas na vida conjugal e familiar: ciúmes, pavonear-se e inchaço de orgulho. Esses três frequentemente caminham juntos e ofendem as pessoas com quem se convive. Arder em ciúmes é perder a confiança no outro, é diminuir a fidelidade pelo medo e permitir que a erva daninha destrua a planta sadia que cresce. Quem tem ciúmes se sente dono e proprietário do outro; nega a liberdade e transforma o seu amado em coisa e criatura descartável. Em geral o excesso de ciúmes exige tratamento terapêutico para que se evite, por exemplo, a violência, o machismo e a misoginia.

Oração

Ó Deus da confiança, aumenta em mim a fé; aumenta em mim a confiança, feita de fatos, ações, confidências e testemunho. O que eu quero para mim devo ofertar ao outro. Não quero que ninguém seja minha propriedade; não sou dona de ninguém, mas companheira, amiga, família. Tira de meu coração a dúvida e fortalece a transparência, pois só a liberdade é digna de amor. Não quero nenhum amor cativo e aprisionado. Quero que alguém me ame por apreciar minha pessoa, minha luta, meus defeitos e minhas qualidades; que alguém queira estar comigo pelo que eu sou e por aquilo que juntos possamos nos tornar. Que nossa relação seja livre, madura e fiel. Senhor meu Deus, quero jogar fora o medo, pois sei que aquele que ama não tem medo nem vergonha. Livrai-me desse mal. Amém.

Quando me sinto triste

Felizes os que choram, porque serão consolados (Mt 5,4).

Para pensar

As bem-aventuranças de Jesus na versão do Evangelista Mateus falam de alegrias que nascem de conflitos. Expressa valores que não vemos na vida comum. Em nossas sociedades, geralmente o forte ganha, o rico esmaga e os pequenos morrem e são calados. No Evangelho acontece uma subversão da ordem injusta pelos valores do Reino: os puros veem a Deus; os mansos herdam a terra; os pobres ganham o Reino. Por ocasião da conversão e da concretização da utopia, aqueles que choram e os que têm fome e sede de justiça passarão a ser confortados e saciados. É o mundo ao avesso; o mundo do jeito que Deus criou e quer. Nesse momento deve acontecer uma imensa alegria e uma festa dos pequeninos. Festa prevista pelos profetas e sábios; festa dos patriarcas e santos; festa que brota quando tudo parecia imensa escuridão. Como disse o poeta Tiago de Melo: "Quanto mais negra a noite mais carrega em si o amanhecer". Para uma pessoa de fé não existe tristeza infinita. No final a alegria brota como um raio de sol!

Oração

Ó Deus da alegria e da consolação, sei que Jesus, teu amado Filho, ao se aproximar a hora da cruz, chorou lágrimas de sangue, mas não fugiu do compromisso. Eu não quero fugir, eu não quero negar a tristeza que sinto, mas desejo ter comigo alguém que faça o papel do discípulo amado e me assuma como sua filha ou como sua mãe. Quero a Virgem Santíssima, Nossa Senhora da Consolação e da Alegria, comigo e em minha casa. Eu creio na palavra do amado Papa Francisco: "Onde Nossa Senhora é de casa o diabo não entra". Minha veneração à Mãe de Deus é profunda. Por isso, sei que sua presença me fortalece e aproxima de Deus. Que nas horas de tristeza eu seja consolada; que nas horas de dor eu seja confortada; que nas horas de angústia eu veja um horizonte novo de paz e de esperança. Sei em quem confio e sei que não há choro que permaneça sem um ombro amigo. Maria, transforma minhas lágrimas em serenidade; consola o meu pranto, pois preciso de teu consolo e de teu amor. Não te esqueças de mim, tua filha, preciso de teu amor alegre. Amém.

Quando me sinto culpada

...pois Ele é bom [...] / pois seu amor é para sempre
(Sl 136(135),1.3).

Para pensar

O que diferencia o cristianismo das outras religiões é que ele mostra que Deus se encarnou para salvar a humanidade; que foi homem e, como humano, amou até o fim. Por isso, todas as vezes que pensarmos não haver mais saída ou nos sentirmos culpados, devemos, com a mesma intensidade, fazer surgir em nós a certeza de que Deus fez novas todas as coisas e venceu até mesmo a morte. Assim, nenhuma culpa ou erro irá nos abater. As experiências negativas podem e devem ser transformadas, ainda que, apenas dentro de nós, em oportunidades de crescimento, vida nova e amadurecimento.

ração

Reconhecer os próprios erros é um dos atos mais nobres do ser humano. Não é fácil admitir que, por uma palavra ou atitude na hora e no lugar errados, muito sofrimento pode ser causado. E é justamente aí que nasce a culpa.

Dá-me, ó Deus, a coragem de reconhecer meus próprios erros. Às vezes, mesmo querendo acertar, causei mal, e as consequências das minhas palavras e atos fazem com que eu me sinta culpada.

Mas Tu sabes da minha confissão. E o arrependimento também é amor. Perante a culpa e a lágrima de tristeza, podemos nos curvar para ver de perto nossa própria humanidade e rever a vida sob a ótica do perdão, dos outros e sobretudo de nós mesmos.

Pai, dá-me a mão quando eu, caída, não tiver capacidade de olhar para dentro de mim mesma. Ensina-me a trilhar o caminho do recomeço e, se necessário, também pedir perdão para as pessoas que fiz sofrer. Quero caminhar com a cabeça erguida, não por nunca ter errado na vida, mas por saber-me limitada e capaz de reconhecer minha própria fragilidade. Amém.

Quando estou doente

*Jesus percorria todas as cidades e aldeias ensinando nas
sinagogas, pregando o Evangelho do Reino e curando toda
enfermidade e doença* (Mt 9,35).

Para pensar

Tenho a plena convicção de que em todos os lugares pelos quais Jesus passa a cura ocorre imediatamente. Essa cura tem relação com a abertura do coração para aceitar e seguir a sua proposta. Jesus cura, salva e liberta; porém, isso ocorre de maneira diferente, nem sempre compreensível para nós. Não se trata de uma magia, um milagre imediato, mas de algo processual que vai transformando pouco a pouco a nossa vida. Começamos a entender que a cura do nosso corpo e da nossa alma acontece quando nos dispomos a amar e a servir mais; quando nos colocamos à disposição para ouvir de Jesus a sua mensagem, e com isso caminhamos com Ele no momento de dor. Então nos sentimos fortes e enfrentamos nossa doença como algo passageiro, que já foi embora e que não nos impede de seguir o Mestre naquilo que Ele deseja e espera de nós!

Oração

Mestre Jesus, essa doença insiste em retirar a minha paz e a minha esperança! Porém, eu sigo caminhando com muita alegria! Acredito que a minha restauração acontece por meio da cruz, dessa cruz que serviu como testemunha da sua dor, Jesus! Faz-me convicta de que esse sofrimento me eleva à salvação, que vem de ti!

Mestre Jesus, sinto-me fraca, mas ao mesmo tempo me sinto confiante. Essa doença não faz parte do meu corpo, é passageira, já está indo embora! Creio que a minha missão neste mundo faz parte do teu plano de amor! Por isso sigo fazendo de cada situação apenas um passo a mais de um longo caminho!

Mestre Jesus, essa moléstia não altera a minha vitalidade. Cura-me e eu serei suficientemente forte para continuar vivendo! Não me sinto sozinha; sei que muitos irmãos e irmãs estão doentes neste momento. Visita-os e mostra para eles que este é apenas um momento passageiro!

Mestre Jesus, tu que soubeste lidar com cada dor, não somente a tua, mas a nossa também, ajuda-me a superar essa minha fragilidade, abre-me os olhos para que eu descubra alternativas eficientes e possa cuidar melhor do meu corpo, sentindo as suas necessidades!

Mestre Jesus, contigo me sinto saudável e curada! Amém!

Quando me sinto desanimada

Minha alma se consome de tristeza; reergue-me segundo a tua palavra (Sl 119(118),28).

*P*ara pensar

Talvez a tristeza tenha tomado conta do teu coração nas últimas horas. Talvez estejas aborrecida com alguém ou até contigo mesma. Talvez estejas cansada de tanta luta e de tantos compromissos que tomam o teu tempo. Procura acalmar-te e não te sintas mal por este momento – todos nós nos aborrecemos em algum instante. Procura descansar e, se possível, não tomes nenhuma decisão nos próximos dias. Enquanto esperas pede a Deus ânimo, coragem, sabedoria. O Senhor conhece as tuas lutas e também os teus anseios mais profundos. Crê nele. O Senhor está próximo. Deixa que Ele te inspire.

Oração

"Não deixes que eu me canse, meu Senhor. Não deixes que eu me canse." Vem em meu socorro, ó Deus; levanta-me, encoraja-me, sustenta-me. Devolve-me a alegria e a esperança; lembra-te de mim, que sou tua filha.

Hoje estou me sentindo um pouco mais cansada; meu coração está apertado; sinto-me sufocada, dividida entre muitos caminhos, entre muitas preocupações e aflições. Por isso, peço-te: sustenta-me, esclarece-me, dissipa todo desânimo, toda confusão, toda mágoa.

Que este tempo de tristeza seja um momento de recolhimento, oração e reflexão. E assim, ajudada por ti, Senhor, que eu possa vislumbrar novos horizontes. Amém.

Quando estou desesperada

Vinde a mim vós todos, que estais cansados e sobrecarregados, e eu vos darei descanso. Tomai sobre vós o meu jugo e aprendei de mim, que sou manso e humilde de coração, e achareis descanso para vossas almas. Pois meu jugo é suave e meu peso é leve (Mt 11,28-31).

Para pensar

O sofrimento e o desespero fazem parte da minha condição humana. Há momentos em que os sentirei mais fortemente e em outros quase não existirão. Preciso ter a consciência de que o meu desespero não é mais forte do que a minha vontade de superá-lo e de torná-lo fraco e impotente! Tendo consciência disso, consigo superar as dificuldades e perceber que Deus age sempre da melhor maneira! Contudo, depende apenas de mim para tornar a minha existência cheia de sentido e significado! Aprender com Jesus, que é manso e humilde de coração, torna-me uma pessoa aberta para o diálogo e o amor ao próximo. Dessa forma transformo completamente a minha vida, e a minha angústia é totalmente fragilizada!

ração

Deus serenidade, esse desespero que sinto me atormenta; esse desespero me deixa atordoada, desnorteada. Porém em ti busco o auxílio que preciso! Sinto a tua energia e, assim, descanso tranquilamente!

Deus serenidade, fonte de amor e atitude! O desespero que paira em mim perde rapidamente a sua força! Conscientemente descubro que tudo não passou de um enorme engano!

Deus serenidade, sinto-me confortavelmente bem! Como não ter em ti o auxílio de que tanto preciso? Poxa vida, Deus meu e também dos meus irmãos e irmãs. Sou forte, guerreira e discípula de um projeto muito grande, de um projeto de vida marcado todo Ele... para o Amor!

Deus serenidade, sinto-me bem; sinto-me envolvida na dinâmica que rege este universo; sinto-me comprometida e motivada em fazer da minha vida um ato contínuo de bondade comigo mesma e com os meus irmãos e irmãs! Por tudo isso esta vida vale muito a pena! Amém!

Quando estou irritada

Não te deixes vencer pelo mal (Rm 12,21).

$\mathscr{P}$ara pensar

A raiva em si não é ruim; pelo contrário, ela pode ser uma força positiva se for usada para o bem. O desafio, contudo, é não se deixar vencer pelo mal, como aconselha São Paulo à comunidade dos romanos. Neste mesmo capítulo 12 o Apóstolo nos exorta: "Abençoai os que vos perseguem". Tais atitudes parecem fora de moda e impossíveis de serem praticadas. Porém, precisamos pensar que, na maioria das vezes, escondida em uma simples irritação ou no sentimento de vingança e violência está a fragilidade da pessoa atingida. A dinâmica da vida nos pede paciência, mansidão e coragem para buscar o bem.

ração

Ah, Senhor, ajuda-me. O relógio que não para, o fato inesperado, a pressa, o tombo, os descompassos da vida. Não é fácil ser nada e tudo ao mesmo tempo. A ajuda que não tive e o tempo perdido, refazendo o que já estava pronto, pesam e me tiram a calma.

Quero a calma da tua presença, Espírito de Deus, mas a minha cabeça gira, as pernas ficam bambas e a sensação de que tudo vai desabar sobre mim não me abandona. Eu sei, Mestre, que a raiva não dá brechas para a reflexão nem para o discernimento.

Quantas vezes, ó Deus, disse palavras das quais me arrependi em seguida ou tomei decisões apressadas, prejudicando a mim mesmo e as pessoas que amo. Sei que é feia e inútil a raiva descontrolada e, ao mesmo tempo, como seríamos mais felizes se, em muitas circunstâncias soubéssemos rir de nós mesmos.

Mostra-me, Senhor, a trilha da mansidão, e que eu consiga dar um passo de cada vez quando meu desejo for correr para alcançar a palavra mais hostil ou o gesto mais competitivo. Que eu saiba lidar com a raiva e impedi-la de tomar conta de mim, e não o contrário. Amém!

Quando me sinto sem forças para prosseguir

...clamo por ti, quando meu coração desfalece. Conduze-me para a rocha, que é alta demais para mim, / pois Tu és para mim um refúgio, um baluarte frente ao inimigo (Sl 61(60),3-4).

Para pensar

Viver não é tão simples como gostaríamos nem tão fácil como parecia ser quando éramos crianças. Sim, a vida pode ser boa – e é muito boa! –, mas é também muito exigente. Exige de nós inúmeros conhecimentos e habilidades, e, por isso mesmo, nem sempre damos conta de tudo! Às vezes, confundimos, tropeçamos, nos perdemos. Nossos anos de escola não nos ensinaram tudo o que precisávamos saber para viver neste mundo. Penso que deveria existir uma escola de gente, um lugar que nos ensinasse a viver e a ser pessoas melhores a cada dia. Por isso, amiga leitora, digo a você de coração: não se deixe vencer pelo cansaço ou pela tristeza; cultive a fé e a paciência; cerque-se de bons amigos e caminhe com cuidado. Estamos todos na mesma escola, lutando e aprendendo a cada dia.

Oração

Às vezes, sinto-me sem forças, Senhor. Foram muitos os momentos difíceis, muitas as lutas que travei, as decepções que sofri, as dores que suportei... Sobre os meus ombros sinto pesar o fardo de todos esses anos.

Por isso, peço, neste dia/nesta noite: sustenta-me; fortalece-me; transforma meu pranto em alegria, minhas quedas em passos de uma grande dança, meu medo em uma escada para que eu possa contemplar novos horizontes; transforma minha procura em um encontro.

Quero encontrar-me; quero encontrar também a ti, Senhor! Concede-me este grande encontro: contigo, com teu amor e comigo mesmo.

Preenche-me com tua alegria; renova em mim a esperança; concede-me sabedoria e discernimento. Só isso te peço, só isso desejo. Amém.

Os autores e suas orações

Fernando Altmeyer Junior, pai e esposo, é conhecido no cenário religioso por suas ideias originais, por seu jeito expressivo e simpático e pelo seu envolvimento com os trabalhos eclesiais. É assessor de encontros pastorais, de grupos de religiosos e religiosas, professor do Departamento de Ciência da Religião da PUC-SP e membro do Observatório Eclesial Brasil. Pela Vozes é autor de um capítulo do livro *Papa Francisco* (2014). Neste livro são do Fernando as seguintes orações:

- Para as refeições
- Pela minha família
- Pelos meus avós
- Para cultivar a autoestima
- Para encontrar a serenidade
- Quando estou triste e deprimida
- Quando me sinto sozinha
- Quando sinto ciúmes
- Quando me sinto triste

Gisele Canário, mãe e esposa, é uma jovem espontânea e cheia de alegria. Está constantemente envolvida com trabalhos bíblicos, assessorando comunidades como membro do Centro Bíblico Verbo, de São Paulo. É formada em Teologia pelo Itesp e trabalha como membro da equipe de pastoral escolar do Colégio Marista Arquidiocesano de São Paulo. Neste livro são da Gisele as seguintes orações:

- Para todas as manhãs
- Pela minha casa
- Pelo meu trabalho
- Para sentir confiança
- Pela união
- Para pedir prosperidade
- Para ter sucesso nos estudos
- Para obter êxito e superar os obstáculos
- Pela bondade
- Quando estou aflita
- Quando me sinto perdida
- Quando estou com raiva
- Quando estou doente
- Quando estou desesperada

Marcos Daniel de Moraes Ramalho, padre da Diocese de Limeira, tem um modo próprio de se comunicar, seja na escrita ou na fala. É pároco da Paróquia São Benedito, em Limeira, além de desenvolver trabalho como assessor diocesano de catequese. Na Vozes contribui constantemente com reflexões publicadas na *Folhinha do Sagrado Coração de Jesus* e no sazonal *Meditações para o dia a dia*. Neste livro são do Marcos Daniel as seguintes orações:
- Para todas as noites
- Para enfrentar uma mudança
- Para agradecer
- Para conseguir perdoar
- Para celebrar a alegria de viver
- Para pedir/cultivar a paz
- Para dar ação de graças
- Pela saúde
- Para cultivar a simplicidade
- Para conviver com pessoas difíceis
- Para ser resiliente

- Para cultivar o amor
- Quando não tenho paciência
- Quando estou em luto
- Quando me sinto desanimada
- Quando me sinto sem forças para prosseguir

Nayá Fernandes, jovem mãe e esposa, é conhecida por sua paixão pela música, literatura e poesia, que constantemente transforma em textos que são apreciados, seja nas redes sociais, seja no jornal *O São Paulo*, onde exerce a função de jornalista. É formada em Filosofia e Teologia pela PUC-SP. Neste livro são da Nayá as seguintes orações:
- A Nossa Senhora
- Pelos meus filhos
- Pelo meu relacionamento
- Pela minha mãe
- Pelos meus amigos
- Para pedir proteção
- Para cultivar a fé e a esperança
- Para tomar uma decisão
- Pela proteção na gravidez/parto
- Quando estou cansada
- Quando estou com medo
- Quando estou magoada
- Quando me sinto culpada
- Quando estou irritada

EDITORA VOZES Editorial

CATEQUÉTICO PASTORAL

Catequese – Pastoral
Ensino religioso

CULTURAL

Administração – Antropologia – Biografias
Comunicação – Dinâmicas e Jogos
Ecologia e Meio Ambiente – Educação e Pedagogia
Filosofia – História – Letras e Literatura
Obras de referência – Política – Psicologia
Saúde e Nutrição – Serviço Social e Trabalho
Sociologia

TEOLÓGICO ESPIRITUAL

Biografias – Devocionários – Espiritualidade e Mística
Espiritualidade Mariana – Franciscanismo
Autoconhecimento – Liturgia – Obras de referência
Sagrada Escritura e Livros Apócrifos – Teologia

REVISTAS

Concilium – Estudos Bíblicos
Grande Sinal – REB

PRODUTOS SAZONAIS

Folhinha do Sagrado Coração de Jesus
Calendário de mesa do Sagrado Coração de Jesus
Agenda do Sagrado Coração de Jesus
Almanaque Santo Antônio – Agendinha
Diário Vozes – Meditações para o dia a dia
Encontro diário com Deus
Guia Litúrgico

VOZES NOBILIS

Uma linha editorial especial, com
importantes autores, alto valor
agregado e qualidade superior.

VOZES DE BOLSO

Obras clássicas de Ciências Humanas
em formato de bolso.

CADASTRE-SE
www.vozes.com.br

EDITORA VOZES LTDA.
Rua Frei Luís, 100 – Centro – Cep 25689-900 – Petrópolis, RJ
Tel.: (24) 2233-9000 – Fax: (24) 2231-4676 – E-mail: vendas@vozes.com.br

UNIDADES NO BRASIL: Belo Horizonte, MG – Brasília, DF – Campinas, SP – Cuiabá, MT
Curitiba, PR – Fortaleza, CE – Goiânia, GO – Juiz de Fora, MG
Manaus, AM – Petrópolis, RJ – Porto Alegre, RS – Recife, PE – Rio de Janeiro, RJ
Salvador, BA – São Paulo, SP